KB103585

고독

고독

발　행 | 2024년 04월 24일
저　자 | 김양채
펴낸이 | 한건희
펴낸곳 | 주식회사 부크크
출판사등록 | 2014.07.15.(제2014-16호)
주　소 | 서울특별시 금천구 가산디지털1로 119 SK트윈타워 A동 305호
전　화 | 1670-8316
이메일 | info@bookk.co.kr

ISBN | 979-11-410-8235-2

고독

김양채 지음

시인의 말

걸어왔던 길을 생각하고
걸어야 할 길을 생각하고
걷지 말아야 했던 길을
무심코 걷고 있었던 날을 생각한다
누구의 부축도 받지 못하고
걸어왔던 긴 시간이
길 위에 흩어진다
가지 말아야 할 길인지
가야 할 길인지 알 수가 없다
돌아가지도 못하고
나아가지도 못하는
긴 침묵의 시간
흩어진 시간은
스스로 길을 만들고
다시 길을 떠난다

2024년 봄 김양채

차례

시인의 말　　5

1부　　11

고독 1　　13
고독 2　　14
고독 3　　15
고독 4　　16
고독 5　　17
고독 6　　18
고독 7　　19
고독 8　　20
고독 9　　21
고독 10　　22
고독 11　　23
고독 12　　25
고독 13　　26
고독 14　　27
고독 15　　28
고독 16　　29
고독 17　　30

고독 18   31

고독 19   32

고독 20   33

2부   35

고독 21   37

고독 22   39

고독 23   41

고독 24   42

고독 25   45

고독 26   46

고독 27   47

고독 28   48

고독 29   49

고독 30   50

고독 31   51

고독 32   52

고독 33   53

고독 34   54

고독 35   55

고독 36   56

고독 37   57

고독 38   58

고독 39   59

고독 40   60

3부   61

고독 41   63

고독 42   64

고독 43   65

고독 44   66

고독 45   68

고독 46   70

고독 47   71

고독 48   73

고독 49   74

고독 50   75

고독 51   76

고독 52   77

고독 53   78

고독 54   79

고독 55   80

고독 56 81

고독 57 82

고독 58 83

고독 59 84

고독 60 85

4부 87

고독 61 89

고독 62 91

고독 63 92

고독 64 93

고독 65 95

고독 66 96

고독 67 99

고독 68 101

고독 69 102

고독 70 103

고독 71 104

고독 72 106

고독 73 107

고독 74 108

고독 75   109

고독 76   110

고독 77   111

고독 78   113

고독 79   114

고독 80   115

고독 81   116

고독 82   117

고독 83   118

고독 84   119

고독 85   120

후기   121

1부

고독 1

언제부터인가
나의 일부가 되어버린 당신
창문을 두드리는 빗소리와
째깍거리는 시계 소리 커질 때
그림자처럼 곁에 있어 주었지
언제나 즐거울 수 없고
마냥 슬퍼할 수도 없는 것이
사는 것이라는데
당신과 함께했던 지난날
애써 외면하기도 했지만
잔잔한 미소와 함께
어깨를 툭툭 쳐 주었지
언제부터인가
하루에도 몇 번씩 찾아오는
너의 그림자
창가에서 맞이하는 설렘

고독 2

장맛비 사이로
붉은 달이 뜨고
빗소리 멈춘 하늘
바람마저 숨죽이는 밤

담벼락에 기대앉은 능소화
달빛 그림자에 젖어
어깨를 들썩인다

커튼 사이로 스며든 달빛
잠든 아이 얼굴에
하얗게 부서지고

시곗바늘도 숨죽이는 시간
잎새에 떨어진 달빛에 취해
홀로 잠 못 이루는 밤

고독 3

눈물과 웃음 지워버리고
화만 남아 일그러진 얼굴
스스로 상처받는다

마음 깊이 묻어 두었던 생각
짙은 한숨에 실어 보내면
무심코 살아가는 세월이
세상을 지탱해 줄 것이다

지우지 않아도 견딜 수 있는 세상
아득하게 펼쳐지면
홀로 들길을 걸어야 한다

흩어지지 않도록
쓰러지지 않도록
길이 끝나는 곳까지 걸어가야 한다

고독 4

빗소리에 귀 기울이다
혼자가 된 시간
텔레비전은 혼자서 웃고
벽시계는 점점 큰소리를 낸다

이미 뱉어버린 말
누군가의 정수리에 박혀
더욱 말할 수 없는 것들
희미해진 얼굴들이 생을 구속하고
시간을 통제할 수 없는 너는
엉거주춤 서 있을 뿐이다

찾지 못하는 얼굴은 희미해져 가지만
입 밖으로 흩어진 말은
누군가의 뇌리에 깊숙이 박혀
두 눈 부릅뜨고 있겠지

고독 5

모두가 일하는 모습을 멀리서
쳐다보는 눈은 고독하다
어디에도 설 곳이 없으면 고독하다
할 일을 찾아 나서지만
찾을 수 없음이 고독하다
떠나고 싶지만
갈 곳이 없으면 고독하다
말 없는 사람들 사이에 맴도는
끈끈한 정적과
끝나지 않는 침묵이 고독하다
별들이 사라진 보름밤
기울어 가는 달빛이 고독하다
겨울날 감나무에 남아 있는
나뭇잎이 고독하다
밤새 찬 이슬 소리 없이 내린다

고독 6

말없이 흐르는 시간은 고독이다

언제 올지 모를 사람을
기다리는 것은 고독이다

정해진 시간까지
자리를 지키는 것은 고독이다

떠나고 싶으나
떠난다고 말하지 못함은 고독이다

가버린 사람들의
초대장을 받는 것은 고독이다

모두 떠난 시간
고독의 미소는 싸늘하다

고독 7

기다린다는 것은
채울 수 없는 목마름이다
태어나면서부터
끝없는 기다림으로
세월을 채워왔지만
아직도
채워지지 않는 기다림
하나의 기다림이 미처
채워지기도 전에
새로운 기다림이 다가온다
화창한 봄날 양지바른
담장에 기대앉아
아지랑이를 보며 한숨짓는 것은
아직도 기다림에
목말라 있기 때문이다

고독 8

내가 그렇다고 해서
너도 그러리라 생각하며
착각에 빠진다
대화 없는 공간에서
생각은 미로를 헤매고
누더기가 되어버린 몸
어디에도 눕힐 곳 없다
아무것도
정해져 있지 않고
정할 수도 없는 세상
혼자서 정해버린 생각은
웃음거리가 되고
쓸쓸한 나그네는
처마 끝 풍경처럼
미세한 바람에도 흔들린다

고독 9

생각처럼 다 될 것 같아
분주하게 보낸 세월
결과만을 좇았던 구름 속의 산책
축 처진 어깨가 앙상하다

손가락질에 상처받은 날들
지워지지 않는 흉터가 되고
너를 탓하는 응어리진 세월
토할 수도 없고 씻어낼 수도 없다

혼자가 아니면서 혼자인 시간
어깨를 누르는 것은
세월의 무게도 아니고
빼앗긴 시간을 돌려받으려는
소리 없는 아우성

고독 10

너의 이름을 애타게 부르는 것은
너에게 잘못한 나날을 생각하며 고개 숙이는 것
너에게 용서를 구하기 위해
나를 먼저 설득해야 하는 침묵의 시간

모두 내려놓고 먼 하늘을 보면
구름이 흩어지듯 생각도 흩어진다
흩어지는 만큼 집착도 내려놓고
미련의 끈도 끊어버린다

홀가분한 마음으로 거리에 서면
방해하는 것은 아무것도 없다
혼자가 되었을 때
긴 숨을 내쉬며 어깨를 감싸 준다
괜찮다고 다독이며 안아 준다

고독 11

선고를 받은 사람이 있었다
하지만 그는 그 사실을 모른다
그가 갈 것임을 알기 때문에
그가 눈치채지 못하도록
그의 옆에서 많은 시간을 보낸다
평소 그가 좋아했던
커피를 마시며
즐겨듣던 음악도 들으면서
환담을 즐기곤 한다
시시껄렁한 이야기를 주고받으면서도
시간이 아깝지 않다
그가 가고 없을 시간을
어떻게 견뎌야 할지 생각해 본다
서로의 대화는 목적도 없고
주제도 없다
귓속에 울리는 것은 아무것도 없지만

잡힐 듯 잡히지 않는 긴 여운으로 남았다
꽃이 채 피기도 전에
그는 갔지만
그가 떠난 자리엔
꽃보다 더 진한 향기가 피어났다

고독 12

입가에 미소를 짓지만
모두 믿지 못하는 관계

터놓고 이야기한다지만
술의 힘을 빌려
별천지에서 밤을 잊는다

남이 될 수 없음에
더욱 겸손해야겠지만
눈앞의 이기를 채우려
굽히지 말아야 할 곳에
서슴없이 굽히고
자신을 속이며
가면을 쓴 모습
일월의 달보다 싸늘하다

고독 13

모든 떠나가는 것이 낯설다

남은 자들이 낯설고 새로운 만남이 낯설다

편을 들어 주고 싶은 마음 외면당한 채
홀로 걸어야 할 여정만 문 앞에 서 있다

떠난다는 것은 혼자 남은 방에서 가방을 싸는 일

비좁기만 했던 공간이 넓게만 보인다

무엇이 놓여 있었는지 벌써 잊어버렸다

고독 14

너의 잠든 얼굴에서
지난 세월을 본다
없었던 주름도
눈가의 그림자도
세월만큼 드리워져 있다
어느새 익숙해진 집이며 아이들이
어깨를 눌러도 내칠 수 없는
그리움이 되어버린 곳
세상이 가져다준 것이
무엇인지 모르고
매일 기다리고 또 기다리는 세월
잊고 싶어도 잊을 수 없는 것이 있다
보고 싶어도 볼 수 없는 것이 있다
달이 지고 별이 져도
변하지 않는 것이 있다

고독 15

많은 사람을 알게 되는 동안
자신에게 소홀했던 세월은
메울 수 없는 공간이 된다

폐허가 된 공간이 무너질 때까지
가만히 쳐다보았다

끊임없이 죽어가고 새로 태어나는 세포처럼
알면서도 모르는 것이 더 좋아
빙긋 웃어 버린다
알고 지냈던 사람이나 모르는 사람이나
차이를 느끼지 못한다

앞뒤를 알 수 없게 섞여 버린 세월은
나의 발자국인지
너의 발자국인지

고독 16

지나온 발자국은 끝없이 사라지고
꽃은 해마다 피고 지고

앙상한 나뭇가지에
새순이 움트는 것도
비가 오고 바람이 부는 것도
그저 지켜볼 뿐이다

기다리지 않아도
다가가지 않아도
계절은 끝없이 다가오고
가버린 계절은 다시 오지 않는다

나무는 늙으면서도 새 꽃을 피우는데
늙은 사람이 피우는 꽃은
꽃이 되지 않는다

고독 17

견딜 수 없는 고통을 안고 살아가는 사람에게
피할 수 없으면 즐기라고 했다
그보다 비참한 말은 어디에도 없었다

불편함을 참는 것이 비굴해질 때도
밥상을 엎어버리지 못하는 소심함에 쩔쩔맸다

누군가의 시선을 벗어나
오로지 익명이 되기로 했다

사랑할 수 없었던 사람에게도 사랑을 나누어 주고
쓸쓸함도 허전함도 남김없이
내가 나를 위로하며 사라지기로 했다

고독 18

봄비 내리는 날
창가에 우두커니
비에 젖은 모습
풀잎처럼 향기롭다

빗소리에 귀 기울이는 너의 그림자
한 잔 술에 붉게 물들고
살아온 날보다 살아갈 날이
더욱 아득해진다

아직도 봄이 되면
꽃이 전해주는 이야기
여전히 청춘인 듯 망각의 강을 헤매는데
아득한 지난날들은
시간이 흐를수록 선명해진다

고독 19

계절의 끝자락은 언제나 혹독하다
섣달그믐 밤이 이토록 무거워지는 것도
잊히는 만큼 타인이 되어가는 것도

별이 다 떨어지고 다시 새 별이 돋아나면
계절은 새로운 향기를 품을 수 있을까
계절은 스스로 바뀌어 가는데
바뀌지 않는 것들이 어깨를 짓누른다

해가 갈수록
등에 진 짐은 무거워지고
털어낼 만큼 털어내고
버릴 만큼 버렸는데도
자꾸 무거워지는 어깨

고독 20

어디로 가야 할지 모르고
길을 걷는다는 것은

가고 싶지 않은 길을
가야만 하는 것은

왔던 길을 다시
되돌아가야 하는 것은

여행의 종착지는
다가서는 만큼 멀어지고
어딘지 모르지만
모르기 때문에 가고 싶은 것이겠지
지친 몸은 시끌벅적한
일상에서 벗어나고 싶은데
여행은 끝날 줄 모르고

다시 그날로 돌아간다면 못 할 게 없을 것 같지만 인생은 결코 연습을 허락하지 않는다. 진정 그 시절로 돌아갈 수 있다면 그리고 돌아간 그 시절의 시대적 상황이 그때 그 시절과 똑같다고 한다면 분명 똑같은 일을 반복하며 지금 이곳에 다시 서 있을 것이다.

오랫동안 간직하고 있었던 일기장은 철 지난 꽃향기처럼 세월 속에서 시들어 가지만 지금의 나를 있게 해 준 지난날의 향기는 그 자체로서 나이기 때문에 너무도 소중한 것이다.

2부

고독 21

- 당신에게 -

하고 싶은 말 하지 못하고
시무룩해 있을 때
당신은 항상 내 곁에 있었지요
비뚤어지고
절망감에 헤맬 때도
당신은 항상 내 곁에 있었지요

산을 찾습니다
길게 뻗은
때론 구불구불한
그곳에 살아 숨 쉬는 자연이
반갑게 맞이합니다
혼자여도 혼자가 아닌 것은
당신이 있기 때문입니다

많은 사람을 만납니다

낯선 사람
낯익은 사람
오랫동안 만났으면서도
서먹한 사람

그중에서 당신은
항상 내 곁을 지켜주었지요
이제 당신을 이렇게 부릅니다
"고독"

고독 22

산등성이 걸린 구름을 보며
넋을 잃었다
산을 넘지 못하고 정처 없이 떠서
새가 되었다가
고래가 되었다가
사방으로 흩어져서 하늘색을 닮아간다
아무 말 하지 않아도
생각하는 대로 그림을 그려준다

전하고 싶은 마음
하늘에다 그릴 수 있다면
그저
하늘을 보라고 하면 되겠지만
보는 사람마다 다르게 보이는 구름은
아무것도 이야기할 수 없어서
다만 정처 없을 뿐이다

먼 하늘에 점점이 수놓은 마음
소중한 추억으로 남아
가끔 하늘을 올려다보면
흩어지는 마음 붙잡을 수 있겠지

비 온 뒤 맑은 하늘에
뭉게뭉게 피어나는 구름을 보며
꺼내보고 싶을 때 꺼내볼 수 있는
소중한 시간
먼 훗날 꺼내보고 싶은 풍경
하나씩 하나씩 그려나가며
혼자여도 혼자가 아닌 것처럼
혼자인 듯이 쓸쓸하지 않도록

고독 23

수북이 쌓인
담배꽁초를 보며
허황된 꿈을 꾼 시간
혼자이기를 연습했던 시간
모든 시간이
연기 속으로 사라졌다
사유는
생각의 길이라기보다
일상에서 일어난
사소한 일들의 모음
누구에겐가
끝이 보이지 않는 길을
가라고 하면
가고 싶은 사람이 있을까마는
그 답답한 길이, 사실은
모두가 가고 있는 길인 것을

고독 24

1

보고 싶은 사람 아직도
보지 못했나
길가에 우두커니
세월을 지키고 있는
고독한 봉분
깎이고 깎여
풀 한 포기 눕지 못하는 곳
이끼 낀 상석 사이로 비치는
잊힌 얼굴들
모두가 스쳐 지나가는
그곳에서 그는
보고 싶은 사람
그림자는 보았을까

2

얼마나 더
기다려야 되는 것일까
세월의 흔적만큼
깎여나간 봉분
다 문드러지면
볼 수 있을까
기다림일랑 접고
산비둘기 따라
먼 곳으로
훌훌 떠난 것일까

3

모두가 떠난 자리는
이슬에 젖고

찾는 이 없는 곳은
풀마저 외면한다
무거운 돌 하나
짊어지지 않았다면
무덤인들
흙무더기인들
알아보지 못할 텐데
세상에 진 업보
다 갚으려는지
선명해지는 묘비명이
이제는 잊히고 싶은
무덤의 주인을 찾는다

고독 25

새벽하늘 쳐다보며
우두커니 서 있는 것보다
사람들로 북적대는
사무실이 더 쓸쓸하다
가족보다
함께 지내는 시간이 많은
그들을 보며
이렇게 무심해질 수 있다는 것에
나쁜 짓 하다 들킨 아이처럼 부끄러워진다
보내기 위해 보내는 시간이
강물처럼 흐르는데
허망하지만
허망하지 않기 위하여
이렇게, 허망한 세월을
눈 감고 보내고 있다

고독 26

거짓말은 참말처럼 참말은 거짓처럼
좋은 일은 비웃고 나쁜 일은 부추기는
내 생각만 옳은 세상

수군거리지 말고
아침이슬처럼
투명했으면 좋겠다

배를 잡고 웃지 않아도
미소가 묻어있는
상큼한 얼굴이 좋다

가장 기쁜 모습
가장 슬픈 모습
같은 얼굴 속에 있다

고독 27

하루는 보내지 않아도
어느새 가고 없다
하루는 또 오겠지만
지난 하루는 무시로 지워진다
어제와 오늘이 섞여 내일로 가고
내일은 아무 생각 없이
내일의 내일로 간다
부딪히며 사는 것보다
조작된 얼굴로 사는 것이 쉬워진다
살아온 날들을 일기장에 적어 놓으면
오랜 시간이 지난날
네가 살아온 나날이 아니라
일기장의 너를 읽는다
살아온 날들은
아무 의미 없는 것이 될 수도 있다

고독 28

선한 얼굴에 숨겨진 욕심
비굴하게 꺾이는 자존심
내가 나를 참을 수 없다
내가 나를 회피해 버린다

모두가 웃지만 우습지 않다
모두가 화를 내지만 화가 나지 않는다
모두가 울지만 슬프지 않다

벽시계 소리에 가슴이 아리어도
밤은 쉬지 않고 깊어 가고
서러운 달빛은 어디를 비추는지
초점을 잃었다
길은 어디에 닿을지 모르고
찬 이슬은 새벽이 될 때까지 내리고

고독 29

당신 앞에 선 마음
말이 되기까지 아무도 모르고
촛불 앞에 선 그림자
바람이 불 때마다 흔들린다

당신 앞에 선 마음
새벽을 헤매는 안개
해가 뜨면 사라지는 길 잃은 나그네

너보다 더 너를 안다고 착각하면서
촛불이 흔들릴 때도 창문을 닫지 않았다
안개가 사라질 때까지 돌아보지 않았다

당신 떠난 자리
흔들리는 그림자만 남아
나그네의 뒷모습만 남아

고독 30

한여름 뙤약볕이 낯설다
소나기라도 내렸으면
처마 밑에 우두커니 서서
비 그치길 기다릴 텐데

한여름 뙤약볕 아래에서는
기다리지도 못하고 마냥 걸어야 한다
언제까지 걸어야 할지 기약도 없는데
쏟아지는 햇살에 젖어 하늘을 보니
아직도 갈 길이 멀다

멈추지 않는 햇살 아래
걷는 만큼 무거워지는 어깨
쉬고 싶어도 쉴 수가 없어
처진 어깨 추스르며 터벅터벅
낯선 거리를 언제까지나

고독 31

발목을 잡혀 움직일 수 없다
알게 되는 것이
모르는 것보다 두렵다

매일 보는 얼굴이
익숙해지지 않아
물 위를 걷는다

물 위에 뜬 기름처럼
섞이지 못한다

물방울이 튀지 않도록
조심조심
물 위에 뜬 기름이 되어
사뿐사뿐

고독 32

부끄러워해야 할 사람은
부끄러워하지 않고
선한 사람이 더 부끄러워하는
소외된 세월

사람이 사람을 떠나고
세월도 사람을 떠나 먼바다로 간다

세월이 흘러도
남아 있는 사람은 변하지 않고
새것만 추구하며 떠나가는 사람이 부끄러워
대신 부끄러워한다

앞산 등 굽은 소나무 변함 없이 푸르고
바닷가 홀로 선 등대에도
점멸 시간은 변하지 않는다

고독 33

마지막 더위 쓸어내리며

비가 내린다

비 그치고 나면

근심 걱정 모두 데리고

가을로 가겠지

글이 되지 못한 것들

글이 되지 못해 버려진 것들

빗물에 흘러보내면

가을을 맞이할 수 있겠지

나른했던 오후

게으른 팔다리

악을 쓰던 매미 소리

서둘러 가을로 떠나보내면

홀로 남은 공간에 버려진 것은

구겨진 종이 조각

몽당연필과 지우개

고독 34

어느새 자란
머리카락 자르며
생각하고 싶지 않은 순간들
함께 자르고 싶다
고백하고 싶지 않은
가장 오래된 비밀
머리카락처럼 쉽게
잘려 나갔으면 좋겠다
손으로 쓸어 올리던 머리카락
가위에 잘려 나가는 순간
쓰레기라도 묻은 듯
툭툭 털어버린다
목덜미에 남아 있는 머리카락
꼼꼼하게 털어내지만
잘리지 않는 것들
끝내 잘리지 않는다

고독 35

네가 먼저 하도록 비켜주는 나와
내가 먼저 해야 하는 나는
서로 시기하고 갈등한다

내 것에 만족하지 못하고
네 것으로 만족하고 싶은 생각은
너를 슬프게 한다

너를 버리면 내가 버려진다
나를 버리면
내가 보이고 너가 보인다

너와 내가 손을 잡고 걸어가자
때 묻은 손을 씻고 사뿐히 걸어가자
새벽안개가 되어 강물 위를 걸어가자

고독 36

오늘도 기다리는 것으로 하루를 보냈다
찾고 있는 것이 무엇인지 잊어버렸다

내일 또 해가 뜨면
기다림으로 하루를 시작할 것이다
기다림에 익숙해져 당신 오는 것도 몰랐고
얼마나 많은 이별이 지나갔는지도 몰랐다

만남과 이별이 기다림에 있다는 것을 알지 못하고
기차가 도착했다 떠나는 것처럼
쉽게 왔다가 쉽게 떠나는 것으로 생각했다

오늘도 간이역에 서서
무엇을 기다리고 있는지 생각하다가
서지 않고 지나가는 기차를 보며
하루를 보내고 말았다

고독 37

남을 배려하는 것보다 어려운 것은 없다

한 번씩 그럴듯하게 칭찬해 주고
격려해 주는 것이야
눈 꼭 감고 할 수 있다지만
바라는 것 없이 할 수 있는 일이란
많지 않기 때문이다

언제부터인가 굳게 친 울타리에 갇혀
접근하지 못하는 만큼 다가가지도 못한다

내가 그들에 익숙해지기보다
그들이 먼저 울타리에 갇힌 나에게 익숙해진다
구경꾼들에 둘러싸인 나는
내가 밖에 있다고 생각하며 구경하고 있다

고독 38

지나간 일에 집착하지 않는다
내일이 올 것을 생각하지 않는다
해마다 피고 지는 꽃잎도 그저
계절이 흐르듯 다가오고 지나간다

무심코 지나가는 거리에도
슬픔이 묻어 있다
새벽을 쓸어내는 빗자루에도
집으로 돌아가는 새벽길에도
떨쳐버리지 못하는 눈물이 있다

오늘 같지 않은 내일은 깨어나지 않았고
어제 같은 오늘은 낯익은 듯 널려 있다
멈추지 않는 걸음은
터벅터벅 낯선 길을 찾아 나선다

고독 39

영정 앞에
무표정하게 앉아 있다
이미 눈물도 없다
소리 내어 울지도 못한다
나이보다 젊은 얼굴은
액자 속에서 환하다
서둘러 절하고 나면
살아있는 자들의
눈물 앞에서
와자하니 술병이 취하고
상주는 틈새를 노려 술을 마신다
돌아오지 못할 길을
배웅하는 시간
가족들은 여전히 말이 없고
퇴주잔에만 회한이 쌓인다

고독 40

하루해가 저물어 가는 것을 아쉬워하면서도
햇살 찰랑이는 오후를 무성의하게 보낸다
원하지 않았던 곳으로 떠밀려 가는 날
발걸음도 무거워 질척거린다

어렴풋한 과거는 더욱 막연해지고
혼자서 가야 하는 길보다 황량한 길은 없다
사랑하지 못해, 표현하지 못해
더욱 고독했던 것은
당신 때문이 아니라 나 때문이었다

마흔이 되고 나면 하고 싶었던 일도
물거품이 되어 흩어지고 말았는데
쉰이 되면 하고 싶은 것은 무엇이었을까
생이 나를 배신했던 것보다
스스로 생을 배신했던 날들이 아득하게 몰려온다

3부

고독 41

어둠이 열리고 동공이 열리고
잠들지 못하는 밤은 터벅터벅 외출을 한다

질기게 늘어붙은 인연의 찌꺼기
장롱 속에서 푸른곰팡이로 자라고

칙칙한 뒷골목에서 자라는 벌레들은
현실과 이상을 견디지 못하고 기형아를 낳는다

시간은 과거에서 멈추고
지독한 불면의 밤은 헛헛한 속을 후벼판다

고독 42

나를 위해 살아온 날들
너를 위해 살아온 날들
앙상한 어깨 위에 상처로 남았다

지고 가지도 못할 것들
버리지 못하는 것은
욕심도 아니고 집착도 아니고

늙은이의 마른기침 소리가
젖은 하늘을 찢는 밤

홀로 왔다가 홀로 가는 길이라면
짐이라도 부려놓을 것을
초겨울 빗소리에 흐느끼고
달빛 없는 밤 한기에 움츠린다

고독 43

향기 머금은 풍란이
바위를 딛고 서 있지만
바위에서 향기가 난다

군림하지만
지배할 수는 없는 것
우리가 된다는 것은
함께 가는 것이다

시간은 주어진 길을 가고
바위 밑으로도 물이 흐르고
가야 할 길을 묵묵히 가는 것이다

갈 곳이 있다는 것은
얼마나 다행스러운가

고독 44

분주하게 움직이는 사람들의
발걸음을 쳐다보는 것은

정해진 시간보다
먼저 일을 끝내는 것은

한 걸음 앞서 새로운 길을 찾는 것은

모두 잠든 밤
홀로 어둠을 지키는 것은

연말 회식자리를 빌려
술타령하는 것은

퇴적된 과거를 뒤적여
잊힌 얼굴을 찾는 것은

손끝에 묻어있는 흔적을
지우지 못하는 것은

혼자가 아니면서
혼자인 것은

고독 45

한 해의 마지막 날
긴 여정을 마무리하는 시간
언제나 설레는 마음
잃고 싶지 않아서
섣달 기나긴 밤
눈을 감지 못한다

처음과 같은 마음으로
언제나 한결같은 마음으로
지나온 날들 간직하고 싶어서
섣달 기나긴 밤
눈을 감지 못한다

누군가 알아주지 않아도
변하지 않는 것은 있다고
아무도 몰라주는 약속을 하면서

섣달 기나긴 밤
눈을 감지 못한다

아무리 찬바람이 불어도
그 자리에서 돌이 되어도
당신 얼굴 떠올릴 수 있다면
섣달 기나긴 밤
혼자서도 외롭지 않겠다

고독 46

함부로 던진 말이 되돌아 와
앙상한 어깨 위에 우수수 떨어진다
어디에서 시작되었는지 걷잡을 수 없는 낭패감

가고 싶지 않아도 가야 하는 길
아직도 익숙해지지 않아
아득한 곳을 향해 서 있다

어디에서 시작된 삶인지
어떻게든 가고 있는 이 길은
내가 던진 말을 수습하는 길

꽃이 수없이 피었다 지고
끝도 없는 길을 끝도 없이 걷는 동안
굽은 등의 짐도 익숙해진다

고독 47

하염없이 나뭇잎을 쓸고 있는 사람들
나뭇잎 다 떨어지고
모두 쓸어낸 다음
눈동자는 하늘을 향해 공허하다

쓸어내고 쓸어낸 만큼 세월은 흘러
문득 군인이 되어 있는 아들이 낯설다

몇 번 휴가를 나오면 다시
학교로 돌아가 아이가 되고
나뭇잎 쓸어낸 만큼
점점 멀어지겠지

아이의 아비가 된 너도
마당에 나가 하염없이 나뭇잎을 쓸며
하늘을 향해 공허한 눈동자를 껌벅이고 있을까

다시 시작해야 할 일이 무엇인지 모르고
반복되는 계절마다 나뭇잎을 쓸고 있는 사람들

인생은 그저 나뭇잎을 쓸다가
빗자루 다 닳아빠진 줄도 모르고
문득 어른이 되어 있는 아이를 발견하는 것일까

고독 48
- 안거

생이 버거워질 때면

잠시 떠나고 싶다

아무도 없는 빈방에

홀로 버려지고 싶다

아무도 기다리지 않는

그곳에 가서 침묵하고 싶다

벗어나고 싶으나

벗어날 수 없는 일상이 지겹다

새로운 것은 어디에도 없고

반복되는 일상은

성큼성큼 세월을 넘어간다

살아갈 일들이

유리처럼 투명해지고

모든 집착이 무의미해지는 순간

적멸*의 밤은

푸른 새벽을 맞는다

*寂滅 번뇌의 세상을 완전히 벗어난 경지

고독 49

만나고 싶어도
만날 수 없는 것은
창가에 앉아 빗소리를 듣는 것이다
기다림과 마주 앉아
온몸이 젖는 밤
오지 않는 사람
기다리는 동안
빗소리는 강이 되어 흘렀다
만나고 싶어도
만날 수 없는 밤은 지나가고
또 다른 만남을 위해
기다림을 배워버린 밤
네가 떠난 자리에도 너는 남아
슬픔과 슬픔이 손을 잡고
꿈처럼 스치던 손길을 생각하며
새벽이 올 때까지 깨어있는 밤

고독 50

옛 추억 회상하는 구슬픈 노래는
바람에 실려 산너머 가는데

세월이 지나간 자리
흔적으로만 남아
생각하고 싶지 않아
애써 떨쳐 버린다

시간과 시간을 넘어
울고 웃었던 세월
세월 앞에 선 주름진 얼굴은
아무것도 이야기하지 않고
그저 그림자만 흔들

지난 일들은 어디에 웅크리고 있을까
그림자는 말도 없는데

고독 51

발길에 차인 돌멩이
구르는 소리 처량하다

무수한 발길에 차여 모난 곳도 없구나

이리 구른들 저리 구른들 보는 사람 없고
묵묵히 제 갈 길을 가는구나

차이고 차여 흉터도 없어진 지 오래

이리 뒹굴 저리 뒹굴 닳고 닳은 세월

어디에서 왔는지 어디로 가는지
알고 싶지도 않아

그저 뒹굴뒹굴 그저 그렇게

고독 52

알면서도 모른 체 하는 것
웃고 싶어도 웃지 못하는 것
모두 떠나버린 공원에
홀로 서성이다 훌쩍 하늘을 쳐다보는 것

내 잘못도 너의 잘못도
이야기할 수 없는 것
사람들 사이에서 잃어버린 너를 찾아
지친 몸을 끌고 터벅터벅 길을 걷는 것

버리면서 새로 태어나는 나뭇잎을 보며
슬프도록 시린 하늘을 보며
버리지 못해 더욱 무거워지는 것은
네가 아니라 나였다는 것을

고독 53

웅성거리는 거리에서
이유 없이 기다리는 것이다

느리게 움직이는 광장에서
먹이를 찾아 움직이는
한 마리 비둘기를 발견하는 것이다

원하지 않았던 관계에 얽혀
알고 싶지 않았던 일과
하고 싶지 않았던 일을 하게 되는 것이다

어쩌면 이름도 없는 누구였다가
갑자기 사라져 버린 그림자인지도 모른다

웅성거리는 거리에서 두리번거리다
남이 되어가는 것이다

고독 54

글자가 되지 못하고 소음이 된 것들
귀 기울이지 않으면 그림자조차 외면한다

사람들 사이에서 우두커니 서 있는 사람이 있다
대화에 끼어들지 못하고
탁자가 되는 사람이 있다

매일 만나는 사람인데도 누구인지 모르고
군중 속의 그림자가 되는 사람

시간이 갈수록 그들 속에서 투명인간이 된다
투명인간이 되면 혼자가 될 수 있다

투명인간이 되고 보니
곳곳에서 투명인간을 발견할 수 있었다
모두가 한 사람을 위한 투명인간이었다

고독 55
- 어떡하나 -

기다림의 옆으로 슬며시 다가온 가을
그리워지면 가을이다

나무를 스치는 바람 소리에 솔깃해지면
가을이다

몇 번의 가을을 거치면
이토록 눈부신 햇살을 흩뿌릴 수 있을까
몇 번의 가을을 거치면
이렇게 높은 하늘을 만져볼 수 있을까

고개 들어 하늘을 보다
눈물이 왈칵 쏟아지면 어떡하나

나무에 내린 빨갛고 노란 햇살이
눈물처럼 뚝뚝 떨어지면 어떡하나

고독 56
- 이별 -

뒤를 돌아보지 말아라
눈가에 흐르는 눈물
닦아줄 수 없으니

멈추지 말아라
돌아가 다시
안아줄 수 없으니

지금 가는 길이
너의 얼굴 떨쳐내는 일이라지만

멀어지는 만큼
너의 얼굴 더 선명해지고

고독 57

장맛비 지나갈 때까지
창밖을 바라보는 것은
두 눈에 흐르는 눈물
숨기고 싶기 때문이다

차마 고개를 돌리지 못하는 것은
떠나는 뒷모습을
놓치고 싶지 않기 때문이다

여행에서 돌아와
일상으로 돌아가는 시간
눈물의 흔적을 지우고
낯선 자리에 앉았다

세상에 처음 왔을 때처럼
모든 곳이 낯설다
누군가의 빈자리가 서럽다

고독 58

가고 싶지 않은 곳으로 떠밀려 간다
한 계절이 바뀌면서 다가오는 헛헛함이
길 위에 풀어진다

살아온 날들이
지탱할 수 없는 짐으로 쌓이는데
다시 돌아가 짐을 풀어낼 수도 없다
가기 싫은 곳인데도
가야 하는 길이 있다
가지 않으면 주저앉게 되고
가고 있으면 아우성에 시달린다

눈을 감아도 귀를 막아도 소용없다
모두 등을 떠밀고 있다
웃음으로 배웅해 주지만
눈물을 삼키며 간다

고독 59

너의 얼굴에
온갖 세월 내려앉는 동안
아무것도 하지 못한 내가
부끄러워서 술을 마신다

내 더러운 손으로
너의 눈물 닦아 주다가
너의 눈물로 내 손을 씻고

네가 웃는 것처럼
하얗게 웃고 싶어서
얼굴이 비치는 술잔을 든다

네가 내 속에 들어오는 만큼
너는 더 환해지고
너를 위해 웃을 수 있고
너를 위해 눈물 흘릴 수 있고

고독 60

담배를 피우던 친구도
술잔을 기울이던 친구도

모두 떠나고 나면
가방을 둘러메고 여행을 떠나야 한다

슬픔마저 그리워 눈을 감지만
눈물은 이미 마른 지 오래

다시 찾아 나서는 길은
황량한 벌판보다 쓸쓸하고

사방으로 흩어진 길은
끝이 보이지 않는다

다시 나에게로 돌아와
나에게 주어진 길을 걸어가야겠다*

그리움도

쓸쓸함도

추억도

모두 가방에 넣고

끝나지 않는 긴 여행을 떠나야겠다

*윤동주, 서시에서 인용

4부

고독 61
- 수도원에 비가 내리고

비 내리는 오후
하늘 가까운 곳에서
산안개가 뿜어져 나오면
회색빛 하늘엔 고요가 맴돈다

산 중턱에 비바람 치면
허연 배를 드러낸
나뭇잎의 아우성
아무도 듣는 이 없는
속세의 삶을 이야기한다

빗물에 젖은 꽃향기
말없이 녹아내리고
젖은 입술처럼 붉은 꽃잎도
하얗게 눈물 흘리며
서글픈 생을 이야기한다

말 없는 미소와

소리 없는 하얀 발걸음

잃어버린 것도 없고

잊어버린 것도 없고

찾을 것도 없는

그저,

있음으로 전부인

흐릿한 산의 형상을 닮은

비 내리는 날 수도원의 오후

고독 62

세상이 깨끗해질 때까지
비는 내리는 것이라고

혼자 우는 풍경風磬이 멈출 때까지
바람은 부는 것이라고

여행을 나선 사람들이 길을 잃지 않도록
햇살은 비치는 것이라고

지친 사람들 쉬어갈 수 있도록
저녁노을이 붉게 물드는 것이라고

다시 떠날 시간 적막을 깨우는 것은
가까워지지 않는 아득한 발자국 소리

고독 63
 - 어떤 기다림

계절이 겨울 속으로 깊숙이 들어앉은 날
뽑다 만 풀들이 차가운 흙 위에 어수선하다

무엇을 기다리는지 잔뜩 웅크린 모습
건드리면 부서질까 발소리마저 죽인다

언제부터 기다렸는지 알 수도 없는
금당 앞 불 꺼진 석등처럼

꽁꽁 얼어 꿈쩍도 하지 않는
등 굽은 풀들이 서글프다

언제 올지 모를 봄날은 소식도 없는데
처마 끝 풍경소리 한가롭다

고독 64
- 기다림에 대하여

나에게 나를 너무 채워서
비집고 들어갈 틈이 없어
멍하니 하늘을 쳐다보며
구름에만 썼다 지웠던 시간

타인의 시선에서 벗어나
시의 공간으로 가는 혼자만의 시간
한 글자가 내려오지 않아
완성하지 못했던 시 한 편
연필을 놓지 못하고 끝없이 이어졌던 시간

쓸데없이 눈물 흘리지 않도록
속에 있는 눈물 비워야 하고
쓸데없이 그리워하지 않도록
헝클어진 생각도 비워야 한다

버려야 할 것 버리지 못하면
아무리 기다려도 다가오지 않는다

기다림이 없어지는 날은
연필을 놓고 떠나가는 시간

차라리 시를 완성하지 않기로 했다
떠나가는 것보다 기다림이 좋아
시가 헝클어지는 날을 기다리며
언제까지나 기다리기로 했다

고독 65

별빛 쏟아지는 가을밤
가슴을 열고 별빛을 받는다

별빛이 내린 머리에도 어깨에도
별의 눈물이 묻어

내 눈물인지 별의 눈물인지 알 수가 없어
그런 날에는 마음 놓고 울어도 좋겠다

눈물이 흐른 만큼 비어버린 마음으로
마당을 서성이다 혼자가 된 밤

새벽으로 가는 별빛은 희미해지고
별의 눈물도 희미해지고

고독 66

가을이 되면
옷깃으로 가을이 들어온다
잊어버린 너의 얼굴이
이 서늘함 속에 있다

가을이 되면
문득 들길을 걷고 싶다
누구를 만나거나
약속한 아무것도 없지만
그저 들길을 걷고 싶다

가을이 되면
알지 못하고 저지른 죄
낙엽 되어 쌓이고
바람이 불 때마다
우우 소리를 낸다

가을이 되면
풀벌레 소리 맑아지는데
시름에 잠긴 목소리
때아닌 열병을 앓는다

가을이 되면
숭숭 바람 든 나뭇가지처럼
누구의 이야기도 아닌
그저 낙엽의 이야기로 그린
가슴 시린 편지 한 장 기다려진다

가을이 되면
눈을 감아야 한다
높은 하늘만큼 멀어진 얼굴이
눈에서 멀어진 만큼
그들에게도 멀어지기 때문이다

가을이 되면
밤새워 읽을 수 있는 긴 글을 쓰고 싶다
풀벌레 소리 멈출 때까지 읽을 수 있는
긴 시를 쓰고 싶다

가을은 가을 이야기를 풀어 놓고
가을이 되고 싶은 사람들을 부른다
가을이 되면
가을옷을 입고 가을 속으로 간다

고독 67
 - 가을 여정

가을바람 속에는 그리움이 있다
노랗게 익은 은행잎이 그렇고
붉은 단풍잎이 그렇고

가을바람이 불면
괜히 쓸쓸해지고 싶다
모두 쓸쓸함을 노래하기 때문이다

가을에는 침묵하여야 한다
말소리에 놀라
나뭇잎이 떨어져 버리기 때문이다

가을에는
가을산에 올라야 한다
철 지난 메아리가
가슴을 울리기 때문이다

가을이 되면
모두 가을을 노래하면서
제각각 다른 가을이 된다

가을은 시작이다
나뭇잎 모두 타버린 계절의 끝에 서서
다음 계절을 준비하기 때문이다

가을은 가을만의 색깔이 있다
그래서 가을을
가을이라고 부른다

고독 68
- 멀어진 세월

희미해진 세월 앞에서
희미해진 흉터를 뒤적인다
아무것도 찾을 수 없다

살아간다는 것은
누군가를 떠나가는 길
점점 멀어져서 혼자가 되는 길

잊힌 것도
잊을 것도 없는 세월
살아왔던 길은 나그네의 길이었고
살아갈 날도 나그네의 길이다

집착하지 않는 나날들
아무것도 없어서 편안하다

고독 69
- 회색 가을

흐린 가을날 오후
비가 올 듯한 하늘이 가을색을 벗었다

파란 하늘색이 물 위에 흐르고
축축한 회색빛이 머리 위에 내려온다

털어낼 수도 없는 이 무게감
고개는 자꾸 숙여지고

가을과 맞지 않은 색이 당혹스럽다
가끔씩 가을도 가을색을 버린다

고독 70
- 무서운 것

말이 너무 많아져
젊은이들 앉혀놓고
세월 가는 줄 모르고
천 년 묵은 이야기
늘어놓고 있지 않을까

할 일 하지도 못하면서
새파란 녀석들 잡고
훈계하려 하지 않을까

했던 이야기 또 하며
횡설수설하지 않을까
싫어하는 줄 모르고
존경하는 줄 착각하지 않을까

나도 모르게 했던 일들이 무서워
아랫입술 깨문다

고독 71

  - 기억

새들은 날아가고 편대를 이뤄 날아가고
바람은 불고 나뭇잎은 흔들리고
아침에 일어나고 밤이면 잠이 드는데
계절은 지치지도 않고 사람들 마음속을 드나들고

지나온 시간 속에 내 발자국은 어디쯤
발자국마다 어린 눈동자 숨결 웃음 그리고 눈물
지나고 보니 다 눈물겹다

아이가 태어났을 때도
놀러 나간 아이가 환하게 웃으며 집으로 돌아왔을 때도
어느 순간 흰머리가 보이던 그녀의 머리칼에도

눈물 대신 술을 마셨다
술을 마시면 눈물도 희미해지겠지
술을 마시며 가끔 웃을 수 있겠지

세월은 늙어감의 시간
작아져감의 시간
사라져감의 시간
이야기 소리보다 시계 소리가 더 커지는 공간

해마다 편대를 이루며 날아왔다 날아가는
새들의 끈질긴 본능처럼
나보다 더 나를 차지하는 무의식이 나를 지워간다

땅속에 단단히 들러붙은 뿌리보다
바람에 흩어져 흔적도 없이 사라지는 꽃잎이고 싶다

고독 72

풀벌레 소리 높은 밤
별들은 구름 속에 숨었다
바람이라도 스쳐
나뭇잎을 흔들어 주면
풀벌레 소리도 담을 넘어갈 텐데

누군가를 부르는 소리
어둠에 묻혀버리고
무엇을 찾는지도 잊어버렸다
멀리서 들려오는 개 짖는 소리
풀벌레 소리와 다를 게 없고

풀벌레 소리도 쉬어
숨이 넘어갈 때쯤
밤은 새벽으로 가고
새벽은 말없이 아침을 맞았다

고독 73

술 한잔 기울이며
하루를 보낸다

충혈된 눈으로
얼어붙은 보름달을 본다

전봇대에 기대앉아
오리온 별자리를 본다

술이 얼어서
눈동자도 얼고
저 달도 얼고
저 별도 얼고

고독 74

비에 젖은 담벼락에 기대어
울어본 적이 있는가

구름에 가려 달도 보이지 않는
캄캄한 골목길 담벼락에 기대어
홀로 울어본 적이 있는가

아무도 보지 않아
우는 것도 아니지만
혼자 울 수 있어야만
진정 울음을 아는 것이라고

비에 젖은 담벼락에는
바람도 기대어 울고
늙은 길고양이도
갈 곳을 잃어 온몸을 비비며 운다

고독 75

어둠을 받아들여
하나씩 별을 만드는 저녁
길을 걷다 보면
밤은 점점 짙어 가고
밤하늘을 수놓은 별
화려한 별빛을 쏟아낸다

평생을 살아가면서
꽃 한 번 피우지 못했다고
별에게 용서를 구하는 시간
별자리가 쉬어갈 수 있도록
작은 어깨라도 내준다

별들도 눈물 흘리는 새벽
머리에도
이슬 촉촉 내리는데

고독 76

- 동백

해마다 봄이 되면

붉은 눈물 뚝뚝 흘리는 산사의 언덕

언젠가 져야 하는 것을 아는지 모르는지

햇살 가득 받은 꽃 눈부시다

꽃구경에 분주한 사람들

봄이 왔다가 가는 줄도 모르고

사진 찍는 소리만 요란하다

언제부터인가

계절이 지나가는 것이 두렵다

계절이 다시 오지 않으면 어떡하나

쓸데없는 걱정만 할 뿐

지금 가장 예쁜 줄 모르는 아이처럼

흰머리 늘어나는 만큼

등이 굽어가는 만큼

쉽게 보내버리는 계절

몇 번이나 다시 저 꽃을 볼 수 있을까

고독 77
 - 산길에서

가을바람 어깨를 스치며 지나가고
산길에서 만나는 사람들의
두런두런 나누는 이야기 소리
어깨를 토닥이며 가볍게 지나간다

무슨 내용인지 알 필요가 없어 홀가분하다
한때, 모르면 바보처럼 고립되었지만
이제 들려오는 소리도
먼지 털듯 털어버리는 편안함에 이르렀다

듣지 않아도 되지만
말하지 않아도 되는 게 매력적이다
이 편안함을 지켜내기 위해
또 무엇을 해야 할까

도란도란 지나가는 젊은 소리가
문득 귓가를 스친다

몸이 아픈 것은 걱정되지 않는데
아픈 것 때문에 산에 가지 못하는 것이
가장 걱정된다는
요즈음 보기 드문 젊은이들의 발랄함이
새벽기도 시간의 죽비소리로 들려온다

고독 78

아무것도 할 수 없었다
손과 발이 묶여 꼼짝할 수 없었다
눈앞에 있는 것도 볼 수 없는 것이었다
바람과 비와 꽃과 새들이
대책 없이 지나가는 날에도
세월은 그저 세월일 뿐
떠난 사람의 빈자리는 채워지지 않았다
다시 바람이 불었으면
다시 비가 내렸으면
웅성거리는 하루가 그리워지는 시간
껍데기만 남아 우두커니 앉은 사람
우두커니는 언제까지 해야 하는 것일까
어디선가 불어온 바람이
심장을 찌르는 날에는
달빛을 안주 삼아 술을 마시고
곡조도 없이 노래를 부르고 싶다

고독 79

비 오는 저녁 끼니도 거르고
축축한 시장 골목길을 서성인다

예고 없이 다가온 너도
인사 없이 가버린 너도
비에 씻겨 흔적도 없는데
헛헛한 무언가가 주변을 서성인다

잊을 것도 잊지 못할 것도 없는데
형체도 없는 것이 어깨를 누른다

뼛속까지 씻기도록 비를 맞으며
온 밤을 걸어가야겠다
그림자도 떼어놓고
비척비척 걸어가야겠다

고독 80

흩어지는 소리 들으며
흩어지는 향기 맡으며
무작정 가다 보니 길을 잃었다

길이 없는 곳에서도 길을 찾아
아득한 길에서도 길을 찾아
다시 걸어가야겠다

아무도 가지 않는 길을 찾아
희망이 없는 길을 찾아
한 걸음씩 가야겠다

심장이 뛰는 소리를 들으며
쓸쓸하지만 쓸쓸하지 않게
한 걸음씩 한 걸음씩

고독 81
- 공원묘지

더 외로워질 수도 없는

삭막한 영혼의 쉼터

끝나지 않는 길에서

잠시 쉬어갈 수 있는 곳

꽃은 그저 피었다 지고

한때 인연이라고 불렀던 것들이

지친 어깨를 기대어 쉴 수 있는 곳

그냥 지나쳤던 일과

잠시 머물렀던 일이

모두 황혼에 물들 때쯤

지나간 일도 다가올 일도

어깨를 토닥이며 노래한다

산너머 가는 붉은 새들도 날갯짓을 멈추고

산그림자도 산으로 돌아갈 때

외로운 그림자는 주인을 버리고

돌아오지 않을 강을 건넌다

고독 82

무수한 이야기가 쏟아지는 오후
흠뻑 젖은 몸은
지탱할 수 없는 무게에 중심을 잃는다
온몸으로 견뎌왔던 아득한 날들
모두 소용없는 일이 될 때
할 수 있는 것은 그저 하늘을 보는 것
생각지도 못한 일이 현실이 되는 시간
지난날은 그저 사라져 버렸다
예고 없는 사라짐에 대하여
알 수 없는 슬픔에 대하여
그냥 외면해 버리기로 했다
다가가지 못하는 미래를 향하여
발걸음을 옮기지 말자
살아가는 일이란 그저
기우뚱거리는 현재를 짊어지고
뒤뚱거리며 걸어가는 일이다

고독 83

매일 다니던 길을 잊어버리고
길 위에 우두커니 섰을 때가 있다
누구에게도 물어볼 수 없는 길의 한복판에서
하늘을 가로지르는 새 한 마리를 본다

어디론가 갈 곳이 있다는 것은
청춘이 남아 있다는 것이다
바람이 불 때마다 길을 나서자
바람이 불어가는 곳으로 발걸음을 내딛자

다시 돌아와야 할지라도
바람이 불면 길을 나서자
바람이 불 때마다 어깨가 펴진다
어디론가 갈 곳이 있다는 것은
아직도 청춘이 남아 있다는 것이다

고독 84
 - 나무

가을이 되면 더 나아가지 못한다
무수히 흔들던 손, 바람에 스치우고
몸속을 흐르던 피, 더 흐르지 못한다

다시 시작하기 위한 시간은 지루했다
눈을 감고 지나간 일들을 생각한다

다시 바람이 불어 어깨를 흔들 때까지
살아가는 이야기가 다시 시작될 때까지

고독 85

모두 옳다고 했는데
결과가 옳지 않을 때

모두 옳지 않다고 했는데
결과가 옳을 때

이쪽과 저쪽의 이해관계가 뒤바뀌는 시간

그럼에도 불구하고
아무것도 돌이킬 수 없다

후 기

말이 되지 않는 것들을 모아 말이 되게 만들어 보고 싶었다. 글자로 써진다고 모두 말이 되는 것은 아니다. 한마디로 말하면 이번 시집은 실패했다. 고독이라는 것을 생각하다가 고독이 아닌 곳으로 표류하고 말았다. 그래서 고독이라는 것을 찾지도 못하고 횡설수설하는 모양새가 의도적으로 늙은 티를 내는 것 같다. <담배>를 처음으로 <술> <그녀의 계절> <인생의 향기> <시>를 엮었고 이번에는 오랫동안 묵혀 두었던 <고독>을 꺼내 들었다. <술>을 엮어내고 써 두었던 것인데, 이것도 살아온 발걸음이라 여기며 기어이 묶어냈다.

오래 묵혀 둔 글을 끄집어내는 일이 마치 보물이라도 들춰내는 기분이지만 막상 꺼내고 보면 아무것도 아닌데도 궁금증을 참지 못하는 것은 인간의 본능일까. 시간이 지나면 희미해

지는 것이 대부분이지만 시간이 지났는데도 더 선명해지는 것
이 있다. 젊은 시절 선명하게 찍어 놓은 장면들은 끝내 글로
만들어져야만 내려놓을 수 있는가 보다. 눈앞에 어른거리는
것들을 정리해서 묶어내지 않으면 언제까지고 따라다니며 괴
롭힐 것이기 때문이다. 어쩌면 괴롭힘으로부터 벗어나기 위한
방편인지도 모른다. 그러다보니 마흔 살의 나와 예순이 넘은
내가 서로 갈등하고 있는 형국이다.

　사전상의 의미로 홀로 있는 듯이 외롭고 쓸쓸한 것을 <고
독>이라고 한다. 한자로는 孤獨이라고 쓰는데 홀로 외롭다는
말이다. 이와 비슷한 말로 외로움이라는 말이 있다. 물론 고독
이라는 말이 포함하고 있는 말이지만, 사전상의 의미로 보면
외로움은 "혼자가 되어 적적하고 쓸쓸한 느낌"으로 풀이하고
있다. 그러나 고독은 홀로 있는 듯이 외롭고 쓸쓸하다고 하니
완전히 혼자인 것은 아닌 듯하다.

　미국의 사회학자 데이비드 리스먼은 혼자서 공간을 차지하
는 것보다 여러 사람 속에서 익명으로 존재하는 시간을 찾아
내어 <군중 속의 고독>이라는 말을 붙였다. 그러나 외로움은
혼자가 되어 쓸쓸하다는 것으로 주변에 아무도 없는 것으로
들린다. <듯이>와 <되어>의 차이는 얼마간의 거리가 있는 것
일까. <듯이>와 <되어>의 거리를 생각하며 생활 속에 녹아
있는 외로움, 그리움 등의 손에 잡히지 않는 관념을 생각하는
시간이 나에게는 고독의 시간은 아니었나 생각해 본다. 그래

서 외롭지는 말아야 하겠고, 고독해야 하는 것이 시인의 운명인 듯 보인다.

고독이 말하는 혼자라는 말은 어떤 공간에 아무도 없이 혼자 있는 것이 아니라 모든 사람에게 나를 드러내지 않고 오로지 익명이 되는 일이다. 이와 관련한 생각의 공간으로 티스토리의 공간에 <사람들 사이에서 문득 외로움을 느낄 때>라는 이야기 공간을 만들어서 틈이 날 때 글이나 사진을 보관하는 창고로 활용하고 있다.

정작 고독이라는 말을 떠올리며 살아가는 이야기를 쓰려고 하니 아무것도 손에 잡히지 않았다. 물론 마지막까지 횡설수설하였다는 것도 고백한다. 사람들이 살아가는 이야기에 가장 가깝게 가는 일이 무엇인지를 생각해야 했는데 그러지도 못한 것 같다. 주변을 둘러보면서 부끄러워해야 하는 사람은 전혀 부끄러워하지 않고 선한 사람이 오히려 더 부끄러워하는 기괴한 사회분위기를 보아야만 했다. 그것들을 글로 담아낼 수가 없었다. 부끄러워하지 않는 자들에게 소외됐다는 기분이었다. 그래서 더욱 고독이라는 글자에 집중했는지도 모른다. 그래서 시에서 쓰지 말라고 하는 관념어를 많이도 썼다. 고독이 무엇인지 모르지만 고독이라는 글자를 뚫어지게 쳐다보며 고독을 생각해 온 시간만큼은 온전히 나만의 시간이었다.

2001년 6월 10일 시집 <담배>를 발행했으니 벌써 23년째 글자에 매달려 있다. 하지만 글쓰기보다는 술을 더 마셨고 혼자서 산길을 걸으면 고독해질까 싶어 혼자서 산길을 걸었다. 혼자 다니는 것이 버릇이 되어 이젠 다른 사람과 함께 산길을 걸어가는 것이 어색해졌다. 혼자 다니는 동안 느끼지 못하는 사이에 세월의 더께가 많이도 묻었다. 더께의 색깔이 너무 짙어져서 아무것도 분간할 수 없다. 이제 어제 했던 일은 물론이고 아침에 했던 일도 점심을 먹으면서 까맣게 잊어버린다. 이런 상태로 경찰서에 불려 가 심문이라도 받게 되면 낭패가 아닐 수 없다.

꽃

온몸이 버석거리며
등 옆구리 가슴 배 무르팍 돌아가면서 가렵다
남우세스러워 가려운데도 함부로 긁지 못한다
슬그머니 딴청 피우며 힘겹게 가려움을 긁어내는데
어째 겸연쩍기까지 하다
젓가락질을 하는데 언제 손가락을 벗어났는지
쩔렁 떨어지는 소리가 바닥에 울린다
눈도 나빠질 대로 나빠져
가까이 있는 사람도 알아보지 못하고
실성한 사람처럼

실루엣만으로 모르는 사람에게 미소를 띄운다
언제부터인가 얼굴에도 손등에도 가리지 않고 피어나는 꽃
매일 거울을 쳐다보는데도 알아채지 못하고
순식간에 피어난 꽃을 보며 참담했다
단단히 자리 잡은 꽃은 점점 세를 확장해 가면서
검고 찬란한 꽃밭을 만든다
먹기 싫은 물을 억지로 마시는데
손바닥 발바닥으로는 물이 흐르지 않고
모든 늙어가는 힘으로 검버섯만 힘차게 피워올린다
멀뚱멀뚱 쳐다볼수록 더 선명해진다

사람들이 살아가면서 첫돌을 맞이하고 초등학교, 중·고등
학교와 대학교에 입학하고 사회에 첫발을 내딛는 일들을 모
두 처음 맞는 일이라 병아리, 새내기 등으로 포장하여 축하
해 주지만 나이가 들어 직장에서 퇴직하고 점점 늙어가는 일
들은 그냥 익숙한 일로, 원래 그랬다는 듯이 치부해 버린다.

정작 직장 생활을 마치고 퇴직하는 것도 처음이고 환갑을
지나 노인이 되어가는 일도 처음 맞는 일이지만 새내기들이
축하받으며 희망을 안고 첫 출근을 하는 일과는 전혀 다른
취급을 받는다. 나이가 들어 법률에 따라 노인이 되는 것은
차라리 두려움이다. 하지만 노인이 되는 첫 경험에 대해서

누구도 기뻐해 주지 않고 다만, 혼자서 고독하게 맞아야 한
다. 그래서 아무에게도 티를 낼 수 없다. 무섭고 불안하지만
차라리 낯익은 듯, 다 아는 듯 살아가는 것이 누구에게도 피
해를 주지 않는 일이 되었다. 무조건 익숙해져야 하는 것이
노인의 의무를 다하는 것이 되고 말았다.

늙어가는 일

모두 처음 겪는 일이다
태어나는 것도 처음이고
학교에 가는 것도
그녀를 만난 것도
아이가 태어나는 것도
모두 처음 겪는 일이다
그런데도 늙어가는 일은
마치 익숙해야 하는 것처럼
누구도 기뻐해 주지 않고
누구에게 물어볼 틈도 없이
어느 순간 자신에게조차
낯선 얼굴이 되어있다
낯선 길에 들어섰던 일을 떠올려 보라

두렵고 멀게만 느껴졌던 길이
돌아올 때는 얼마나 금방 돌아왔는지를
하루가 길게 느껴졌지만
어제는 언제 지나갔는지도 모른다
늙어가는 일도 무섭고 불안하다
노인은 아무것에나 익숙할 것 같아서
아무도 관심 두지 않는다
늙어가는 일이란
처음 겪는 일이지만
낯익은 듯 살아가는 일이다

　처음 겪는 일은 누구에게나 낯설다. 낯선 일에 처음 부딪혔을 때는 그 일을 하면서 실수하지 않으려고 긴장하며 집중한다. 무슨 일이든지 익숙해지는 것이어서 얼마간의 시간이 지나면 언제 낯설었는지를 기억하지 못한다. 신입사원이 들어오면 자신은 원래 알았던 사람처럼 행동하기 일쑤다. 시간이 지나면 또 익숙해지겠지만 노인은 어쩌면 영원히 익숙해지지 않을 것 같다. 매일 늙어가고 매년 나이를 먹어간다. 그러면서 점점 기력이 약해지고 숨도 가빠진다. 살아가면서 닥치는 하루하루가 처음으로 겪는 일이 된다.

그러나 사람들은 노인은 원래 노인이어서 그렇다고 생각한
다. 원래 노인인 사람은 아무도 없고 그도 언젠가는 노인이
될 것인데도 마치 노인이 되지 않을 것 같은 생각을 한다.

노인에 대해서는 아무도 관심 두지 않기 때문에 스스로 할
일을 찾아야 한다. 혼자서 할 수 있는 일을 찾아야 한다. 혼자
서 영화 보고 혼자서 산에 가고 가끔 혼자서 술도 한잔하고,
시간이 허락하면 혼자서 여행하는 것이다. 어쩌면 그것이 고
독을 찾아 나서는 일이 되지는 않을까?

고독해지기

나서지 못하는 성격 때문에
내가 한 일도 남이 한 일이 되었다
생각을 정리하고 모아서
작정하고 말하려는 순간
화제는 이미 다른 방향으로 흘러가고 있었다
입도 들썩이지 못하고
침묵해야만 했다
어쩌다 기회가 있어 말이라도 할라치면
말이 끝나기도 전에
한쪽에서는 웃고 떠들고 있었다

사람을 만나지 않아야겠다고 결심했다
어쩔 수 없을 때는 그저
아무 말 하지 않고 있으면 되는 것이었다
홀로 살아가는 족속이 많아지게 되면서
그들 속에 숨어서 은폐할 수 있었다
사람과 함께 있는 것보다
혼자 있는 것이 더 마음 편해지게 되었고
외롭지 않았다
혹시나 누군가를 만나는 일이 생길까 더 걱정해야 했다
웃고 싶지 않아도
억지로 웃어야 하는 일을 하지 않아도 되는
혼자 영화 보기
혼자 산에 오르기
혼자 술 한잔하기
창밖을 보며 우두커니 있기
혼자서 여행하는 모든 것이
고독을 찾아가는 시간
나를 찾아 떠나는 시간여행

어쩌면 우리의 삶이 보이지 않는 족쇄에 묶여 있었는지도
모른다. 신호등을 보면서 파란불 빨간불이라고 부르지만 사실

상 파란불은 초록색이다. 숲이 푸르다고 이야기하는 것과 같이 신호등의 불빛도 그렇게 무의식에 의한 색의 치환 작용이 일어났던 것일까? 어쩌면 초록색을 놓고 파란색으로 부르기로 한 사회적 약속 때문은 아닌가. 그렇다면 진실이나 사실의 경계는 무엇인가를 생각하지 않을 수 없다.

신호등 앞에 선 어린아이가 초록색 불이 들어왔을 때 파란불이 들어오지 않았다고 해서 우두커니 서 있는 장면을 본 적이 있는가? 유치원 선생이 초록색 불이 들어왔을 때, "와! 파란불이 들어왔어요. 건널목을 건너요!"라고 이야기하면 누구도 의심없이 건널목을 건너는 모습을 볼 수 있다. 우리의 생각은 색깔에까지 족쇄가 채워져서 사실로부터 고립되어야 하는 것일까.

족쇄

어느 날 빨간색 신호등을 쳐다보며
파란색 신호등이 켜지길 기다리고 있었다.
좀처럼 바뀌지 않는 신호등을 쳐다보며
한참을 서 있었다.
신호등에 파란불이 들어오는 것을 보고
걸음을 옮기려 했으나

마음대로 움직여지지 않았다

어디서 날아왔는지 족쇄가 채워져 있었다.

술을 한잔 마실 때도

산책길을 걸을 때도

여행을 다닐 때도

족쇄의 눈치를 봐야만 했다.

언제부터인가

족쇄 없이는 아무 일도 할 수가 없었다

족쇄는 내 몸의 일부가 되어

일거수일투족을 조종하고 있었다.

족쇄에 의한 족쇄를 위한 족쇄의 몸부림이었다

어떤 이는 빨간색으로

어떤 이는 파란색으로

보는 사람에 따라 족쇄의 색깔도 달랐다

나는 아무 색깔도 없이

빨간색이 되었다가 파란색이 되기도 했다

어느 날 늙은 몸을 끌고 보행 신호를 따라 건너고 있었다

발걸음이 가벼워서 보니 족쇄가 사라지고 없었다

족쇄가 나였는지 내가 족쇄였는지

분간할 수 없었다

어디로 갈지 몰라 멍하니 서 있었다.

"아름답다"라는 말의 어원과 관련하여 우연히 컴퓨터로 검색해 본 적이 있다. 어원은 '안다'의 어간 '안-'에 명사형 어미 '-옴'이 붙어 '아롬'이 되었다는 것이다. 즉, "알다"라는 동사에 접미사 음이 붙어서 아는 것이 아름다움의 본질이 된다는 견해다.

아름답다에 대한 또 다른 견해는 15세기 무렵 수행자들이 아름답다를 아(我)답다로 표현했다고 한다. 그래서 "나(我)답다" "나와 동일시하다"라는 물아일치의 경지라는 의미로 해석할 수 있으며, 나를 알아야 다른 사람들을 이해할 수 있을 만큼 이해의 폭이 넓어진다는 의미다. 누구를 흉내 내는 것이 아니라 자신의 가치를 빛나게 하는 것이 가장 아름다운 삶이다. 어쨌든 가장 나다울 때가 가장 아름다운 순간인 것을 생각해 보면 얼마나 나를 잘 가꾸어야 하는지를 생각하게 한다.

풍경

바람에는 원래 소리가 없는데
귀를 스치며
나무를 스치며
옷자락을 스치며

제각각 소리를 만들어 낸다

나는 매일 바람에 몸을 맡기며
바람 소리를 낸다
앉았다가 일어서면 입으로도
소리가 나고
뼈와 뼈 사이에서도 소리가 난다
절에 가지 않아도
바람이 불지 않아도
바람 소리가 난다

절에 가는 사람들은 모두
바람 소리를 들으러 간다
소리를 버리고 소리를 들으러
온몸으로 바람을 가르며 간다

절 마당까지 가는 동안
온몸에서 나는 바람 소리를 생각해 본다
평생 들어왔던 소리
외면했던 소리
모두 끌어모아 집으로 돌아왔다
마당 한가운데 서서 바람을 맞는다

바람이 불 때마다 풍경 소리가 난다

혼자 있는 시간이 많다는 것은 자신을 돌아볼 수 있는 시간이 많다는 것이다. 매일 마시는 물을 깨끗하게 정제하여 마시듯이 마음에 있는 불순물을 제거하여 깨끗한 마음이 된다면 상대방을 쳐다볼 때도 순수한 마음으로 쳐다볼 것이다. 그러면 둘의 관계가 아름다워지지 않겠는가. 그렇게 아름다워진 관계가 사방으로 퍼져 나간다면 세상이 아름다워지리라 생각한다.

혼자여서 좋은 일들을 꾸역꾸역 해나가고 있는 것은 자신을 깨끗하게 만들어 가는 과정이다. 그리하여 가장 나다움에 이르게 될 때 남과 비교하여 불필요한 경쟁에 휩쓸리는 일이 없어질 것이다. 엉뚱한 자만심이나 부족하면서도 부족하지 않은 척하는 마음 등 곳곳에 도사리고 있는 이기주의를 청산하게 되면 언젠가는 세상과 소통하는 아름다운 날을 맞게 되지 않을까 생각해 보는 것이다.

2024년 봄 김양채